LE CHAMP FREUDIEN

COLLECTION DIRIGÉE PAR JACQUES LACAN

OUVRAGES
DE JACQUES LACAN

Écrits

De la psychose paranoïaque
dans ses rapports avec la personnalité,
suivi de Premiers Écrits sur la paranoïa

Le séminaire de Jacques Lacan
Texte établi par Jacques-Alain Miller

Livre I
Les écrits techniques de Freud

Livre II
Le moi dans la théorie de Freud
et dans la technique de la psychanalyse

Livre III
Les psychoses

Livre VII
L'éthique de la psychanalyse

Livre XI
Les quatre concepts fondamentaux
de la psychanalyse

Livre XX
Encore

dans la collection « Points »

Écrits
(2 volumes)

De la psychose paranoïaque
dans ses rapports avec la personnalité

JACQUES LACAN

TÉLÉVISION

ÉDITIONS DU SEUIL
27, rue Jacob, Paris VIᵉ

ISBN 2.02.002764. X

Avertissement

1. « *Une émission sur Jacques Lacan* », souhaitait *le* Service de la Recherche de l'O.R.T.F. *Seul fut émis le texte ici publié. Diffusion en deux parties sous le titre* Psychanalyse, *annoncée pour la fin janvier. Réalisateur : Benoît Jacquot.*

2. *J'ai demandé à celui qui vous répondait de cribler ce que j'entendais de ce qu'il me disait. Le fin est recueilli dans la marge, en guise de* manuductio.

J.-A. M., *Noël 1973*

Celui qui m'interroge
sait aussi me lire.

J. L.

I

Je dis toujours la vérité : pas toute, parce que toute la dire, on n'y arrive pas. La dire toute, c'est impossible, matériellement : les mots y manquent. C'est même par cet impossible que la vérité tient au réel.

J'avouerai donc avoir tenté de répondre à la présente comédie et que c'était bon pour le panier.

Raté donc, mais par là-même réussi au regard d'une erreur, ou pour mieux dire : d'un erre-ment.

Celui-ci sans trop d'importance, d'être d'occasion. Mais d'abord, lequel?

L'errement consiste en cette idée de parler pour que des idiots me comprennent.

Idée qui me touche si peu naturellement qu'elle n'a pu que m'être suggérée. Par l'amitié. Danger.

Car il n'y a pas de différence entre la télévision et le public devant lequel je parle depuis longtemps, ce qu'on appelle mon séminaire. Un regard dans les deux cas : à qui je ne

$(a \lozenge \cancel{s})$ m'adresse dans aucun, mais au nom de quoi je parle.

Qu'on ne croie pas pour autant que j'y parle à la cantonade. Je parle à ceux qui s'y connaissent, aux non-idiots, à des analystes supposés.

L'expérience prouve, même à s'en tenir à l'attroupement, prouve que ce que je dis intéresse bien plus de gens que ceux qu'avec quelque raison je suppose analystes. Pourquoi dès lors parlerais-je d'un autre ton ici qu'à mon séminaire?

Outre qu'il n'est pas invraisemblable que j'y suppose aussi des analystes à m'entendre.

$\dfrac{a}{S_2}$ J'irais plus loin : je n'attends rien de plus des analystes supposés, que d'être cet objet grâce à quoi ce que j'enseigne n'est pas une auto-analyse. Sans doute sur ce point n'y a-t-il que d'eux, de ceux qui m'écoutent, que je serai entendu. Mais même à ne rien entendre, un analyste tient ce rôle que je viens de formuler, et la télévision le tient dès lors aussi bien que lui.

J'ajoute que ces analystes qui ne le sont que d'être objet — objet de l'analysant —, il arrive que je m'adresse à eux, non que je leur parle, mais que je parle d'eux : ne serait-ce que pour les troubler. Qui sait? Ça peut avoir des

$S_1 \rightarrow S_2$ effets de suggestion.

Le croira-t-on? Il y a un cas où la suggestion ne peut rien : celui où l'analyste tient son défaut

10

de l'autre, de celui qui l'a mené jusqu'à « la passe » comme je dis, celle de se poser en analyste.

Heureux les cas où passe fictive pour formation inachevée : ils laissent de l'espoir.

II

— Il me semble, cher docteur, que je n'ai pas ici à rivaliser d'esprit avec vous..., mais seulement à vous donner lieu de répondre. Aussi vous n'aurez de moi que les questions les plus minces — élémentaires, voire vulgaires. Je vous lance : « L'inconscient — drôle de mot ! »

— Freud n'en a pas trouvé de meilleur, et il n'y a pas à y revenir. Ce mot a l'inconvénient d'être négatif, ce qui permet d'y supposer n'importe quoi au monde, sans compter le reste. Pourquoi pas ? A chose inaperçue, le nom de « partout » convient aussi bien que de « nulle part ».

C'est pourtant chose fort précise.

Il n'y a d'inconscient que chez l'être parlant. Chez les autres, qui n'ont d'être qu'à ce qu'ils soient nommés bien qu'ils s'imposent du réel, il y a de l'instinct, soit le savoir qu'implique leur survie. Encore n'est-ce que pour notre pensée, peut-être là inadéquate.

« La condition de l'inconscient, c'est le langage »,...

Restent les animaux en mal d'homme, dits

pour cela d'hommestiques, et que pour cette raison parcourent des séismes, d'ailleurs fort courts, de l'inconscient.

L'inconscient, ça parle, ce qui le fait dépendre du langage, dont on ne sait que peu : malgré ce que je désigne comme linguisterie pour y grouper ce qui prétend, c'est nouveau, intervenir chez les hommes au nom de la linguistique. La linguistique étant la science qui s'occupe de lalangue, que j'écris en un seul mot d'y spécifier son objet, comme il se fait de toute autre science.

...lequel ex-siste à lalangue :

Cet objet pourtant est éminent, de ce que ce soit à lui que se réduise plus légitimement qu'à tout autre la notion même aristotélicienne de sujet. Ce qui permet d'instituer l'inconscient de l'ex-sistence d'un autre sujet à l'âme. A l'âme comme supposition de la somme de ses fonctions au corps. Ladite plus problématique, malgré que ce soit de la même voix d'Aristote à Uexküll, et qu'elle reste ce que les biologistes supposent encore, qu'ils le veuillent ou pas.

hypothèse analytique.

i (a)

En fait le sujet de l'inconscient ne touche à l'âme que par le corps, d'y introduire la pensée : cette fois de contredire Aristote. L'homme ne pense pas avec son âme, comme l'imagine le Philosophe.

La pensée n'a à l'âme-corps qu'un rapport d'ex-sistence.

Il pense de ce qu'une structure, celle du langage — le mot le comporte — de ce qu'une structure découpe son corps, et qui n'a rien à faire avec l'anatomie. Témoin l'hystérique. Cette cisaille vient à l'âme avec le symptôme obsessionnel : pensée dont l'âme s'embarrasse, ne sait que faire.

La pensée est dysharmonique quant à l'âme. Et le νοῦς grec est le mythe d'une complaisance de la pensée à l'âme, d'une complaisance qui serait conforme au monde, au monde *(Umwelt)* dont l'âme est tenue pour responsable, alors qu'il n'est que le fantasme dont se soutient une pensée, « réalité » sans doute, mais à entendre comme grimace du réel.

Le peu que la réalité tient du réel

— Il reste qu'on vient à vous, psychanalyste, pour, dans ce monde que vous réduisez au fantasme, aller mieux. La guérison, c'est aussi un fantasme ?

— La guérison, c'est une demande qui part de la voix du souffrant, d'un qui souffre de son corps ou de sa pensée. L'étonnant est qu'il y ait réponse, et que de tout temps la médecine ait fait mouche par des mots.

Pouvoir des mots

Comme était-ce avant que fût repéré l'inconscient ? Une pratique n'a pas besoin d'être éclairée pour opérer : c'est ce qu'on peut en déduire.

— L'analyse ne se distinguerait donc de la thérapie que « d'être éclairée » ? Ce n'est pas ce que vous voulez dire. Permettez que je formule ainsi la

question : « Psychanalyse et psychothérapie, toutes
deux n'agissent que par des mots. Elles s'opposent
cependant. En quoi ? »

– Par le temps qui court, il n'est pas de psychothérapie dont on n'exige qu'elle soit « d'inspiration psychanalytique ». Je module la chose pour les guillemets qu'elle mérite. La distinction maintenue là, serait-elle seulement de ce qu'on n'y aille pas au tapis, ... au divan veux-je dire ?

Ça met le pied à l'étrier aux analystes en mal de passe dans les « sociétés », mêmes guillemets, qui, pour n'en rien vouloir savoir, je dis : de la passe, y suppléent par des formalités de grade, fort élégantes pour y établir stablement ceux qui y déploient plus d'astuce dans leurs rapports que dans leur pratique.

C'est pourquoi je vais produire ce dont cette pratique prévaut dans la psychothérapie.

Dans la mesure où l'inconscient y est inté-
Il n'est ressé, il y a deux versants que livre la structure,
structure que soit le langage.
de langage.
Le versant du sens, celui dont on croirait que c'est celui de l'analyse qui nous déverse du sens à flot pour le bateau sexuel.

Il est frappant que ce sens se réduise au non-
« Il n'y a pas sens : au non-sens du rapport sexuel, lequel est
de rapport patent depuis toujours dans les dits de
sexuel. » l'amour. Patent au point d'être hurlant : ce qui

donne une haute idée de l'humaine pensée.

Encore y a-t-il du sens qui se fait prendre pour le bon sens, qui par-dessus le marché se tient pour le sens commun. C'est le sommet du comique, à ceci près que le comique ne va pas sans le savoir du non-rapport qui est dans le coup, le coup du sexe. D'où notre dignité prend son relais, voire sa relève.

Le bon sens représente la suggestion, la comédie le rire. Est-ce à dire qu'ils suffisent, outre qu'ils soient peu compatibles? C'est là que la psychothérapie, quelle qu'elle soit, tourne court, non qu'elle n'exerce pas quelque bien, mais qui ramène au pire.

D'où l'inconscient, soit l'insistance dont se manifeste le désir, ou encore la répétition de ce qui s'y demande, — n'est-ce pas là ce qu'en $d \rightarrow (\cancel{S} \Diamond D)$ dit Freud du moment même qu'il le découvre?

d'où l'inconscient, si la structure qui se reconnaît de faire le langage dans lalangue, comme je le dis, le commande bien,

nous rappelle qu'au versant du sens qui dans la parole nous fascine — moyennant quoi à cette parole l'être fait écran, cet être dont Parménide imagine la pensée —,

nous rappelle qu'au versant du sens, je conclus, l'étude du langage oppose le versant du signe.

Comment même le symptôme, ce qu'on appelle tel dans l'analyse, n'a-t-il pas là tracé la voie? Cela jusqu'à Freud qu'il a fallu pour que, docile à l'hystérique, il en vienne à lire les rêves, les lapsus, voire les mots d'esprit, comme on déchiffre un message chiffré.

— Prouvez que c'est bien là ce que dit Freud, et tout ce qu'il dit.

— Qu'on aille aux textes de Freud répartis sur ces trois chefs — les titres en sont maintenant triviaux —, pour s'apercevoir qu'il ne s'agit de rien d'autre que d'un déchiffrage de dit-mension signifiante pure.

A savoir que l'un de ces phénomènes est naïvement articulé : articulé veut dire verbalisé, naïvement selon la logique vulgaire, l'emploi de lalangue simplement reçu.

Puis que c'est à progresser dans un tissu d'équivoques, de métaphores, de métonymies, que Freud évoque une substance, un mythe fluidique qu'il intitule de la *libido*.

La pratique Mais ce qu'il opère réellement, là sous nos *de Freud* yeux fixés au texte, c'est une traduction dont se démontre que la jouissance que Freud suppose au terme de processus primaire, c'est dans les défilés logiques où il nous mène avec tant d'art qu'elle consiste proprement.

Il n'est que de distinguer, ce à quoi était parvenue dès longtemps la sagesse stoïcienne, le signifiant du signifié (pour en traduire les

noms latins comme Saussure), et l'on saisit $\frac{S}{s}$
l'apparence là de phénomènes d'équivalence
dont on comprend qu'ils aient à Freud pu
figurer l'appareil de l'énergétique.

Il y a un effort de pensée à faire pour que
s'en fonde la linguistique. De son objet, le
signifiant. Pas un linguiste qui ne s'attache à le
détacher comme tel, et du sens notamment.

J'ai parlé de versant du signe pour en marquer l'association au signifiant. Mais le signifiant en diffère en ceci que la batterie s'en donne
déjà dans lalangue.

Parler de code ne convient pas, justement
de supposer un sens.

La batterie signifiante de lalangue ne four- *Lalangue est*
nit que le chiffre du sens. Chaque mot y prend *la condition*
selon le contexte une gamme énorme, disparate, *du sens*
de sens, sens dont l'hétéroclite s'atteste souvent au dictionnaire.

Ce n'est pas moins vrai pour des membres
entiers de phrases organisées. Telle cette phrase :
les non-dupes errent, dont je m'arme cette
année.

Sans doute la grammaire y fait-elle butée
de l'écriture, et pour autant témoigne-t-elle
d'un réel, mais d'un réel, on le sait, qui reste
énigme, tant qu'à l'analyse n'en saille pas le
ressort pseudo-sexuel : soit le réel qui, de ne *L'objet (a)*
pouvoir que mentir au partenaire, s'inscrit
de névrose, de perversion ou de psychose.

« Je ne l'aime pas », nous apprend Freud, va
loin dans la série à s'y répercuter.

En fait, c'est de ce que tout signifiant, du phonème à la phrase, puisse servir de message chiffré (personnel, disait la radio pendant la guerre) qu'il se dégage comme objet et qu'on découvre que c'est lui qui fait que dans le monde, le monde de l'être parlant, il y a de l'Un, c'est-à-dire de l'élément, le στοιχεῖον du grec.

Suffit-il d'un signifiant pour fonder le signifiant Un ?

Ce que Freud découvre dans l'inconscient, je n'ai tout à l'heure pu qu'inviter à ce qu'on aille voir dans ses écrits si je dis juste, c'est bien autre chose que de s'apercevoir qu'en gros on peut donner un sens sexuel à tout ce qu'on sait, pour la raison que connaître prête à la métaphore bien connue de toujours (versant de sens que Jung exploita). C'est le réel qui permet de dénouer effectivement ce dont le symptôme consiste, à savoir un nœud de signifiants. Nouer et dénouer n'étant pas ici des métaphores, mais bien à prendre comme ces nœuds qui se construisent réellement à faire chaîne de la matière signifiante.

Car ces chaînes ne sont pas de sens mais de jouis-sens, à écrire comme vous voulez conformément à l'équivoque qui fait la loi du signifiant.

Je pense avoir donné une autre portée que ce qui traîne de confusion courante, au recours qualifié de la psychanalyse.

III

— Les psychologues, les psychothérapeutes, les psychiatres, tous les travailleurs de la santé mentale — c'est à la base, et à la dure, qu'ils se coltinent toute la misère du monde. Et l'analyste, pendant ce temps ?

— Il est certain que se coltiner la misère, comme vous dites, c'est entrer dans le discours qui la conditionne, ne serait-ce qu'au titre d'y protester.

$$S_1 \rightarrow S_2$$
$$\frac{\$}{\$} \!\!\!\times\!\!\! \frac{}{a}$$

Rien que dire ceci, me donne position — que certains situeront de réprouver la politique. Ce que, quant à moi, je tiens pour quiconque exclu.

Au reste les psycho — quels qu'ils soient, qui s'emploient à votre supposé coltinage, n'ont pas à protester, mais à collaborer. Qu'ils le sachent ou pas, c'est ce qu'ils font.

C'est bien commode, me fais-je rétorsion trop facile, bien commode cette idée de discours, pour réduire le jugement à ce qui le détermine. Ce qui me frappe, c'est qu'en fait on ne trouve pas mieux à m'opposer, on dit : intellectualisme. Ce qui ne fait pas le poids, s'il s'agit de savoir qui a raison.

Ce d'autant moins qu'à rapporter cette misère au discours du capitaliste, je dénonce celui-ci.

J'indique seulement que je ne peux le faire sérieusement, parce qu'à le dénoncer je le renforce, — de le normer, soit de le perfectionner.

J'interpole ici une remarque. Je ne fonde pas cette idée de discours sur l'ex-sistence de l'inconscient. C'est l'inconscient que j'en situe, — de n'ex-sister qu'à un discours.

Ce n'est qu'au discours analytique qu'ex-siste l'inconscient comme freudien,...

Vous l'entendez si bien qu'à ce projet dont j'ai avoué le vain essai, vous annexiez une question sur l'avenir de la psychanalyse.

L'inconscient en ex-siste d'autant plus qu'à ne s'attester en clair que dans le discours de l'hystérique, partout ailleurs il n'y en a que greffe : oui, si étonnant que cela paraisse, même dans le discours de l'analyste où ce qu'on en fait, c'est culture.

... qu'auparavant on écoutait, mais comme autre chose.

Ici parenthèse, l'inconscient implique-t-il qu'on l'écoute ? A mon sens, oui. Mais il n'implique sûrement pas sans le discours dont il ex-siste qu'on l'évalue comme savoir qui ne pense pas, ni ne calcule, ni ne juge, ce qui ne l'empêche pas de travailler (dans le rêve par exemple). Disons que c'est le travailleur idéal, celui dont Marx a fait la fleur de l'économie capitaliste dans l'espoir de lui voir prendre le

C'est un savoir qui travaille...

26

relais du discours du maître : ce qui est arrivé en effet, bien que sous une forme inattendue. Il y a des surprises en ces affaires de discours, c'est même là le fait de l'inconscient. *... sans maître : $S_2//S_1$.*

Le discours que je dis analytique, c'est le lien social déterminé par la pratique d'une analyse. Il vaut d'être porté à la hauteur des plus fondamentaux parmi les liens qui restent pour nous en activité.

– Mais de ce qui fait lien social entre les analystes, vous êtes vous-même, n'est-ce pas, exclu...

– La Société, — dite internationale, bien que ce soit un peu fictif, l'affaire s'étant longtemps réduite à être familiale —, je l'ai connue encore aux mains de la descendance directe et adoptive de Freud : si j'osais — mais je préviens qu'ici je suis juge et partie, donc partisan —, je dirais que c'est actuellement une société d'assistance mutuelle contre le discours analytique. La SAMCDA.

Sacrée SAMCDA!

Ils ne veulent donc rien savoir du discours qui les conditionne. Mais ça ne les en exclut pas : bien loin de là, puisqu'ils fonctionnent comme analystes, ce qui veut dire qu'il y a des gens qui s'analysent *avec* eux.

A ce discours donc, ils satisfont, même si certains de ses effets sont par eux méconnus. Dans l'ensemble la prudence ne leur manque pas; et même si ce n'est pas la vraie, ça peut être la bonne.

Au reste, c'est pour eux qu'il y a des risques.

Venons-en donc au psychanalyste et n'y allons pas par quatre chemins. Ils nous mèneraient tous aussi bien là où je vais dire.

C'est qu'on ne saurait mieux le situer objectivement que de ce qui dans le passé s'est appelé : être un saint.

Un saint durant sa vie n'impose pas le respect que lui vaut parfois une auréole.

Personne ne le remarque quand il suit la voie de Baltasar Graciàn, celle de ne pas faire d'éclats, — d'où Amelot de la Houssaye a cru qu'il écrivait de l'homme de cour.

Un saint, pour me faire comprendre, ne fait *L'objet (a)* pas la charité. Plutôt se met-il à faire le déchet : *incarné* il décharite. Ce pour réaliser ce que la structure impose, à savoir permettre au sujet, au sujet de l'inconscient, de le prendre pour cause de son désir.

C'est de l'abjection de cette cause en effet que le sujet en question a chance de se repérer au moins dans la structure. Pour le saint ça n'est pas drôle, mais j'imagine que, pour quelques oreilles à cette télé, ça recoupe bien des étrangetés des faits de saint.

Que ça ait effet de jouissance, qui n'en a le sens avec le joui ? Il n'y a que le saint qui reste sec, macache pour lui. C'est même ce qui épate le plus dans l'affaire. Épate ceux qui s'en approchent et ne s'y trompent pas : le saint est le rebut de la jouissance.

Parfois pourtant a-t-il un relais, dont il ne se contente pas plus que tout le monde. Il jouit. Il n'opère plus pendant ce temps-là. Ce n'est pas que les petits malins ne le guettent alors pour en tirer des conséquences à se regonfler eux-mêmes. Mais le saint s'en fout, autant que de ceux qui voient là sa récompense. Ce qui est à se tordre.

Puisque se foutre aussi de la justice distributive, c'est de là que souvent il est parti.

A la vérité le saint ne se croit pas de mérites, ce qui ne veut pas dire qu'il n'ait pas de morale. Le seul ennui pour les autres, c'est qu'on ne voit pas où ça le conduit.

Moi, je cogite éperdument pour qu'il y en ait de nouveaux comme ça. C'est sans doute de ne pas moi-même y atteindre.

Plus on est de saints, plus on rit, c'est mon principe, voire la sortie du discours capitaliste, — ce qui ne constituera pas un progrès, si c'est seulement pour certains.

IV

– Depuis vingt ans que vous avez avancé votre formule, que l'inconscient est structuré comme un langage, on vous oppose, sous des formes diverses : « Ce ne sont là que — des mots, des mots, des mots. Et de ce qui ne s'embarrasse pas de mots, qu'en faites-vous ? Quid de l'énergie psychique, ou de l'affect, ou de la pulsion ? »

– Vous imitez là les gestes avec lesquels on feint un air de patrimoine dans la SAMCDA.

Parce que, vous le savez, au moins à Paris dans la SAMCDA, les seuls éléments dont on se sustente proviennent de mon enseignement. Il filtre de partout, c'est un vent, qui fait bise quand ça souffle trop fort. Alors on revient aux vieux gestes, on se réchauffe à se pelotonner en Congrès.

Parce que ce n'est pas un pied-de-nez que je sors comme ça aujourd'hui, histoire de faire rire à la télé, la SAMCDA. C'est expressément à ce titre que Freud a conçu l'organisation à quoi ce discours analytique, il le léguait.

Il savait que l'épreuve en serait dure, l'expérience de ses premiers suivants l'avait là-dessus édifié.

— *Prenons d'abord la question de l'énergie naturelle.*

L'énergie naturelle, ça fait ballon pour exercices à démontrer que là aussi on a des idées. L'énergie, — c'est vous qui lui mettez la banderole de naturelle, parce que dans ce qu'ils disent, ça va de soi que c'est naturel : quelque chose de fait pour la dépense, en tant qu'un barrage peut le retenir et le rendre utile. Seulement voilà, ce n'est pas parce que le barrage, ça fait décor dans un paysage, que c'est naturel, l'énergie.

Le mythe libidinal Qu'une « force de vie » puisse constituer ce qui s'y dépense, c'est une grossière métaphore. Parce que l'énergie n'est pas une substance, qui par exemple se bonifie ou qui devient aigre en vieillissant —, c'est une constante numérique qu'il faut au physicien trouver dans ses calculs, pour pouvoir travailler.

Travailler de façon conforme à ce qui, de Galilée à Newton, s'est fomenté d'une dynamique purement mécanique : à ce qui fait le noyau de ce qu'on appelle plus ou moins proprement une physique, strictement vérifiable.

Sans cette constante qui n'est rien de plus qu'une combinaison de calcul, — plus de physique. On pense que les physiciens en prennent soin et qu'ils arrangent les équivalences entre masses, champs et impulsions pour qu'un chiffre puisse en sortir qui satisfasse au principe de la conservation de l'énergie. Encore faut-il que ce principe on puisse le poser, pour qu'une physique satisfasse à l'exigence d'être vérifiable : c'est un fait d'expérience mentale, comme s'exprimait Galilée. Ou, pour mieux dire : la condition que le système soit mathématiquement fermé prévaut même sur la supposition qu'il soit physiquement isolé.

Ce n'est pas de mon cru, cela. N'importe quel physicien sait de façon claire, c'est-à-dire prête à se dire, que l'énergie n'est rien que le chiffre d'une constance.

Or ce qu'articule comme processus primaire Freud dans l'inconscient — ça, c'est de moi, mais qu'on y aille et on le verra —, ce n'est pas quelque chose qui se chiffre, mais qui se déchiffre. Je dis : la jouissance elle-même. *Pas moyen* Auquel cas elle ne fait pas énergie, et ne saurait *d'établir* s'inscrire comme telle. *une énergétique de la jouissance.*

Les schémas de la seconde topique par où Freud s'y essaie, le célèbre œuf de poule par exemple, sont un véritable pudendum et prêteraient à l'analyse, si l'on analysait le Père. Or je tiens pour exclu qu'on analyse le Père réel, et pour meilleur le manteau de Noé quand le Père est imaginaire.

De sorte que plutôt m'interrogé-je sur ce qui distingue le discours scientifique du discours hystérique où, il faut le dire, Freud, à recueillir son miel, n'y est pas pour rien. Car ce qu'il invente, c'est le travail des abeilles comme ne pensant, ne calculant, ne jugeant pas, soit ce qu'ici même j'ai relevé déjà, — quand après tout ce n'est peut-être pas là ce qu'en pense von Frisch.

Je conclus que le discours scientifique et le discours hystérique ont *presque* la même structure, ce qui explique l'erreur que Freud nous suggère de l'espoir d'une thermodynamique dont l'inconscient trouverait dans l'avenir de la science sa posthume explication.

On peut dire qu'après trois quarts de siècle il ne se dessine pas la plus petite indication d'une telle promesse, et même que l'idée recule de faire endosser le processus primaire par le principe qui, à se dire du plaisir, ne démontrerait rien, sinon que nous tenons à l'âme comme la tique à la peau d'un chien. Car cette fameuse moindre tension dont Freud articule le plaisir, qu'est-ce d'autre que l'éthique d'Aristote?

Ce ne peut être le même hédonisme que celui dont les épicuriens se faisaient enseigne. Il fallait qu'ils eussent quelque chose de bien précieux à en abriter, de plus secret même que les stoïciens, pour de cette enseigne qui ne voudrait dire maintenant que psychisme, se faire injurier du nom de pourceaux.

Quoi qu'il en soit, je m'en suis tenu à Nico-
maque et à Eudème, soit à Aristote, pour en
différencier vigoureusement l'éthique de la
psychanalyse, — dont je frayai la voie toute
une année.

L'histoire de l'affect que je négligerais, c'est
le même tabac.

Qu'on me réponde seulement sur ce point :
un affect, ça regarde-t-il le corps? Une décharge
d'adrénaline, est-ce du corps ou pas? Que ça *Nulle harmonie*
en dérange les fonctions, c'est vrai. Mais en *de l'être*
quoi ça vient-il de l'âme? C'est de la pensée que *dans le monde...*
ça décharge.

Alors ce qui est à peser, c'est si mon idée
que l'inconscient est structuré comme un lan- *... s'il parle.*
gage, permet de vérifier plus sérieusement
l'affect, — que celle qui s'exprime de ce que ce
soit un remue-ménage dont se produit un
meilleur arrangement. Car c'est ça qu'on
m'oppose.

Ce que je dis de l'inconscient va-t-il ou non
plus loin que d'attendre que l'affect, tel les
alouettes déjà rôties, vous tombe dans le bec,
adéquat? *Adaequatio,* plus bouffonne d'en
remettre sur une autre bien tassée, à conjoindre
cette fois *rei,* de la chose, à *affectus,* l'affect
dont elle se recasera. Il a fallu arriver à notre
siècle pour que des médecins produisent ça.

Je n'ai, pour moi, fait que restituer ce que
Freud énonce dans un article de 1915 sur le

refoulement, et dans d'autres qui y reviennent, c'est que l'affect est déplacé. Comment se jugerait ce déplacement, si ce n'est par le sujet que suppose qu'il ne vienne là pas mieux que de la représentation ?

La métonymie pour le corps est de règle...

Cela, je l'explique de sa « bande » pour comme lui l'épingler, puisqu'aussi bien je dois reconnaître que j'ai affaire à la même. Seulement ai-je démontré par un recours à sa correspondance avec Fliess (de l'édition, la seule qu'on ait, de cette correspondance, expurgée) que la dite représentation, spécialement refou-

... car le sujet de la pensée est métaphorisé.

lée, ce n'est rien de moins que la structure et précisément en tant que liée au postulat du signifiant. Cf. lettre 52 : ce postulat y est écrit.

Dire que je néglige l'affect, pour se rengorger de le faire valoir, comment s'y tenir sans se rappeler qu'un an, le dernier de mon séjour à Sainte-Anne, je traitai de l'angoisse ?

Certains savent la constellation où je lui fis place. L'émoi, l'empêchement, l'embarras, différenciés comme tels, prouvent assez que l'affect, je n'en fais pas peu de cas.

Il est vrai que de m'entendre à Sainte-Anne, c'était interdit aux analystes en formation dans la SAMCDA.

Je ne le regrette pas. J'ai affecté si bien mon monde à, cette année-là, fonder l'angoisse de l'objet qu'elle concerne — loin d'en être dépourvue, (à quoi en restent les psychologues qui n'y ont pu apporter plus que sa distinction de la peur...) —, la fonder, dis-je de cet abjet comme je désigne maintenant plutôt mon objet *(a)*, qu'un de chez moi eut le vertige (vertige réprimé), de me laisser, tel cet objet, tomber.

Reconsidérer l'affect à partir de mes dires, reconduit en tout cas à ce qui s'en est dit de sûr.

La simple résection des passions de l'âme, comme saint Thomas nomme plus justement ces affects, la résection depuis Platon de ces passions selon le corps : tête, cœur, voire comme il dit ἐπιθυμία ou surcœur, ne témoigne-t-elle pas déjà de ce qu'il faille pour leur abord en passer par ce corps, que je dis n'être affecté que par la structure?

J'indiquerai par quel bout se pourrait donner suite sérieuse, à entendre pour sérielle, à ce qui dans cet effet prévaut de l'inconscient.

La tristesse, par exemple, on la qualifie de dépression, à lui donner l'âme pour support, ou la tension psychologique du philosophe Pierre Janet. Mais ce n'est pas un état d'âme, c'est simplement une faute morale, comme s'exprimait Dante, voire Spinoza : un péché, ce qui veut dire une lâcheté morale, qui ne se situe en dernier ressort que de la pensée, soit du devoir de bien dire ou de s'y retrouver dans l'inconscient, dans la structure.

Il n'est éthique que du Bien-dire,...

Et ce qui s'ensuit pour peu que cette lâcheté, d'être rejet de l'inconscient, aille à la psychose, c'est le retour dans le réel de ce qui est rejeté, du langage; c'est l'excitation maniaque par quoi ce retour se fait mortel.

39

A l'opposé de la tristesse, il y a le gay sçavoir lequel est, lui, une vertu. Une vertu n'absout personne du péché, — originel comme chacun sait. La vertu que je désigne du gay sçavoir en est l'exemple, de manifester en quoi elle consiste : non pas comprendre, piquer dans le sens, mais le raser d'aussi près qu'il se peut sans qu'il fasse glu pour cette vertu, pour cela jouir du déchiffrage, ce qui implique que le gay sçavoir n'en fasse au terme que la chute, le retour au péché.

... savoir
que de
non-sens.

Où en tout ça, ce qui fait bon heur ? Exactement partout. Le sujet est heureux. C'est même sa définition puisqu'il ne peut rien devoir qu'à l'heur, à la fortune autrement dit, et que tout heur lui est bon pour ce qui le maintient, soit pour qu'il se répète.

Au « rendez-vous »
avec l'(a),...

L'étonnant n'est pas qu'il soit heureux sans soupçonner ce qui l'y réduit, sa dépendance de la structure, c'est qu'il prenne idée de la béatitude, une idée qui va assez loin pour qu'il s'en sente exilé.

Heureusement que là nous avons le poète pour vendre la mèche : Dante que je viens de citer, et d'autres, hors les roulures de ceux qui font cagnotte au classicisme.

... si c'est
jouissance
de femme,...

Un regard, celui de Béatrice, soit trois fois rien, un battement de paupières et le déchet exquis qui en résulte : et voilà surgi l'Autre que nous ne devons identifier qu'à sa jouissance à elle, celle que lui, Dante, ne peut satisfaire, puisque d'elle il ne peut avoir que ce regard,

que cet objet, mais dont il nous énonce que
Dieu la comble; c'est même de sa bouche à
elle qu'il nous provoque à en recevoir l'assurance.

... l'Autre prend ex-sistence,...

A quoi répond en nous : ennui. Mot dont, à
faire danser les lettres comme au cinémato-
graphe jusqu'à ce qu'elles se replacent sur une
ligne, j'ai recomposé le terme : unien. Dont je
désigne l'identification de l'Autre à l'Un. Je
dis : l'Un mystique dont l'autre comique, à
faire éminence dans le Banquet de Platon,
Aristophane pour le nommer, nous donne le
cru équivalent dans la bête-à-deux-dos dont il
impute à Jupiter qui n'en peut mais, la bisec-
tion : c'est très vilain, j'ai déjà dit que ça ne
se fait pas. On ne commet pas le Père réel dans
de telles inconvenances.

... mais non pas substance d'Un.

Reste que Freud y choit aussi : car ce qu'il
impute à l'Eros, en tant qu'il l'oppose à Thana-
tos, comme principe de « la vie », c'est d'unir,
comme si, à part une brève coïtération, on
avait jamais vu deux corps s'unir en un.

Car « rien n'est tout » aux défilés du signifiant,...

Ainsi l'affect vient-il à un corps dont le
propre serait d'habiter le langage, — je me
geaite ici de plumes qui se vendent mieux que
les miennes —, l'affect, dis-je, de ne pas trouver de logement, pas de son goût tout au
moins. On appelle ça la morosité, la mauvaise
humeur aussi bien. Est-ce un péché, ça, un
grain de folie, ou une vraie touche du réel ?

... l'affect est discord,...

Vous voyez que l'affect, ils auraient mieux
fait, les SAMCDA, pour le moduler, de

prendre mon crin-crin. Ça les aurait menés plus loin que de bayer aux corneilles.

Que vous compreniez la pulsion dans ces gestes vagues dont de mon discours on se garantit, c'est me faire la part trop belle pour que je vous en sois reconnaissant, car vous le savez bien, vous qui d'une brosse impeccable avez transcrit mon XIe séminaire : qui d'autre que moi a su se risquer à en dire quoi que ce soit ?

Pour la première fois, et chez vous notamment, je sentais m'écouter d'autres oreilles que moroses : soit qui n'y entendaient pas que j'Autrifiais l'Un, comme s'est ruée à le penser la personne même qui m'avait appelé au lieu qui me valait votre audience.

A lire les chapitres 6, 7, 8, 9 et 13, 14 de ce Séminaire XI, qui n'éprouve ce que l'on gagne à ne pas traduire *Trieb* par instinct, et serrant au plus près cette pulsion de l'appeler dérive, à en démonter, puis remonter, collant à Freud, la bizarrerie ?

... et la pulsion dérive.

A m'y suivre, qui ne sentira la différence qu'il y a, de l'énergie, constante à chaque fois repérable de l'Un dont se constitue l'expérimental de la science, au *Drang* ou poussée de la pulsion qui, jouissance certes, ne prend que de bords corporels, — j'allais à en donner la forme mathématique, — sa permanence ? Permanence qui ne consiste qu'en la quadruple instance dont chaque pulsion se soutient de coexister à trois autres. Quatre ne donne accès que d'être puissance, à la désunion à quoi il s'agit de parer, pour ceux que le sexe ne suffit pas à rendre partenaires.

Certes je n'en fais pas là l'application dont se distinguent névrose, perversion et psychose.

Je l'ai faite ailleurs : ne procédant jamais que selon les détours que l'inconscient y fait chemins à revenir sur ses pas. La phobie du petit Hans, j'ai montré que c'était ça, où il promenait Freud et son père, mais où depuis les analystes ont peur.

Aussi ne puis-je dire ce que tu es pour moi.

V

— Il y a une rumeur qui chante : si on jouit si mal, c'est qu'il y a répression sur le sexe, et, c'est la faute, premièrement à la famille, deuxièmement à la société, et particulièrement au capitalisme. La question se pose.

— Ça, c'est une question — me suis-je laissé dire, car de vos questions j'en parle —, une question qui pourrait s'entendre de votre désir de savoir comment y répondre, vous-même, à l'occasion. Soit : si elle vous était posée, par une voix plutôt que par une personne, une voix à ne se concevoir que comme provenant de la télé, une voix qui n'ex- siste pas, ce de ne rien dire, la voix pourtant, au nom de quoi, moi, je fais ex-sister cette réponse, qui est interprétation.

A le dire crûment, vous *savez* que j'ai réponse à tout, moyennant quoi vous me prêtez la question : vous vous fiez au proverbe qu'on ne prête qu'au riche. Avec raison.

$$\frac{a \rightarrow \not{\$}}{S_2}$$

Qui ne sait que c'est du discours analytique que j'ai fait fortune ? En quoi je suis un *self-*

made man. Il y en a eu d'autres, mais pas de nos jours.

Freud n'a pas dit que le refoulement *provienne* de la répression : que (pour faire image), la castration, ce soit dû à ce que Papa, à son moutard qui se tripote la quéquette, brandisse : « On te la coupera, sûr, si tu remets ça. »

Bien naturel pourtant que ça lui soit venu à la pensée, à Freud, de partir de là pour l'expérience, — à entendre de ce qui la définit dans le discours analytique. Disons qu'à mesure qu'il y avançait, il penchait plus vers l'idée que le refoulement était premier. C'est dans l'ensemble la bascule de la seconde topique. La gourmandise dont il dénote le surmoi est structurale, non pas effet de la civilisation, mais « malaise (symptôme) dans la civilisation ».

Le refoulement originaire

De sorte qu'il y a lieu de revenir sur l'épreuve, à partir de ce que ce soit le refoulement qui produise la répression. Pourquoi la famille, la société elle-même ne seraient-elles pas créations à s'édifier du refoulement? Rien de moins, mais ça se pourrait de ce que l'inconscient ex-siste, se motive de la structure, soit du langage. Freud élimine si peu cette solution que c'est pour en trancher qu'il s'acharne sur le cas de l'homme-aux-loups, lequel homme s'en trouve plutôt mal. Encore semble-t-il que ce ratage, ratage du cas, soit de peu auprès de sa réussite : celle d'établir le réel des faits.

S'il reste énigmatique, ce réel, est-ce au discours analytique, d'être lui-même institution, qu'il faut l'attribuer?

Point d'autre recours alors que le projet de la science pour venir à bout de la sexualité : la sexologie n'y étant encore que projet. Projet à quoi, il y insiste, Freud faisait confiance. Confiance qu'il avoue gratuite, ce qui en dit long sur son éthique.

Or le discours analytique, lui, fait promesse : d'introduire du nouveau. Ce, chose énorme, *Du nouveau* dans le champ dont se produit l'inconscient, *dans l'amour* puisque ses impasses, entre autres certes, mais d'abord, se révèlent dans l'amour.

Ce n'est pas que tout le monde ne soit averti de ce nouveau qui court les rues —, mais il ne réveille personne, pour la raison que ce nouveau est transcendant : le mot est à prendre du même signe qu'il constitue dans la théorie des nombres, soit mathématiquement.

D'où ce n'est pas pour rien qu'il se supporte du nom de trans-fert.

Pour réveiller mon monde, ce transfert je l'articule du « sujet supposé savoir ». Il y a là explication, dépliement de ce que le nom n'épingle qu'obscurément. Soit : que le sujet, par le transfert, est supposé au savoir dont il consiste comme sujet de l'inconscient et que c'est là ce qui est transféré sur l'analyste, soit ce $\frac{a}{S_2}$ savoir en tant qu'il ne pense, ni ne calcule, ni ne juge pour n'en pas moins porter effet de travail.

Ça vaut ce que ça vaut, ce frayage, mais c'est comme si je flûtais,... ou pire comme si c'était la frousse que je leur foutais.

SAMCDA simplicitas : ils n'osent. Ils n'osent s'avancer où ça mène.

Ce n'est pas que je ne me décarcasse! Je profère « l'analyste ne s'autorise que de lui-même ». J'institue « la passe » dans mon École, soit l'examen de ce qui décide un analysant à se poser en analyste, — ceci sans y forcer personne. Ça ne porte pas encore, je dois l'avouer, mais là on s'en occupe, et mon École, je ne l'ai pas de si longtemps.

Ce n'est pas que j'aie l'espoir qu'ailleurs on cesse de faire du transfert retour à l'envoyeur. C'est l'attribut du patient, une singularité qui ne nous touche qu'à nous commander la prudence, dans son appréciation d'abord, et plus que dans son maniement. Ici l'on s'en accommode, mais là où irions-nous?

Ce que je sais, c'est que le discours analytique ne peut se soutenir d'un seul. J'ai le *Transfini* bonheur qu'il y en ait qui me suivent. Le *du discours* discours a donc sa chance.

Aucune effervescence, — qui aussi bien se suscite de lui —, ne saurait lever ce qu'il *Impossible* atteste d'une malédiction sur le sexe, que *du Bien-dire* Freud évoque dans son « Malaise ». *sur le sexe,...*

Si j'ai parlé d'ennui, voire de morosité, à propos de l'abord « divin » de l'amour, comment méconnaître que ces deux affects se dénoncent — de propos, voire d'actes — chez les jeunes qui se vouent à des rapports sans répression —, le plus fort étant que les analystes dont ainsi ils se motivent leur opposent bouche pincée.

Même si les souvenirs de la répression familiale n'étaient pas vrais, il faudrait les inventer, et on n'y manque pas. Le mythe, c'est ça, la tentative de donner forme épique à ce qui s'opère de la structure.

L'impasse sexuelle sécrète les fictions qui rationalisent l'impossible dont elle provient. Je ne les dis pas imaginées, j'y lis comme Freud l'invitation au réel qui en répond. *... c'est de structure,...*

L'ordre familial ne fait que traduire que le Père n'est pas le géniteur, et que la Mère reste contaminer la femme pour le petit d'homme; le reste s'ensuit. *... lire le mythe d'Œdipe.*

Ce n'est pas que j'apprécie le goût de l'ordre qu'il y a chez ce petit, ce qu'il énonce à dire : « personnellement *(sic)* j'ai horreur de l'anarchie ». Le propre de l'ordre, où il y en a le moindre, c'est qu'on n'a pas à le goûter puisqu'il est établi.

C'est arrivé déjà quelque part par bon heur, et c'est heur bon tout juste à démontrer que ça y va mal pour même l'ébauche d'une liberté. C'est le capitalisme remis en ordre. Au temps donc pour le sexe, puisqu'en effet le capitalisme, c'est de là qu'il est parti, de le mettre au rancart.

Vous avez donné dans le gauchisme, mais

autant que je le sache, pas dans le sexo-gau-
chisme. C'est que celui-ci ne tient qu'au discours
analytique, tel qu'il ex-siste pour l'heure. Il
ex-siste mal, de ne faire que redoubler la
malédiction sur le sexe. En quoi il se montre
redouter cette éthique que je situais du bien-
dire.

*— N'est-ce pas reconnaître seulement qu'il n'y
a rien à attendre de la psychanalyse pour ce qui est
d'apprendre à faire l'amour? D'où on comprend
que les espoirs se reportent sur la sexologie.*

— Comme je l'ai tout à l'heure laissé entendre,
c'est plutôt la sexologie dont il n'y a rien à
attendre. On ne peut par l'observation de ce
qui tombe sous nos sens, c'est-à-dire la perversion, rien construire de nouveau dans l'amour.

Dieu par contre a si bien ex-sisté que le
paganisme en peuplait le monde sans que personne y entende rien. C'est où nous revenons.

Dieu merci! comme on dit, d'autres tradi-
tions nous assurent qu'il y a eu des gens plus
sensés, dans le Tao par exemple. Dommage que
ce qui pour eux faisait sens soit pour nous sans
Sagesse? portée, de laisser froide notre jouissance.

Pas de quoi nous frapper, si la Voie comme
je l'ai dit passe par le Signe. S'il s'y démontre
quelque impasse, — je dis bien : s'assure à se
démontrer, — c'est là notre chance que nous en

touchions le réel pur et simple, — comme ce qui empêche d'en dire *toute* la vérité.

Il n'y aura de di-eu-re de l'amour que ce compte fait, dont le complexe ne peut se dire qu'à se faire tordu. *Dieu est dire.*

— *Vous n'opposez pas aux jeunes, comme vous dites, bouche pincée. Certes pas, puisque vous leur avez lancé un jour, à Vincennes : « Comme révolutionnaires, vous aspirez à un maître. Vous l'aurez. » En somme, vous découragez la jeunesse.*

— Ils me cassaient les pieds selon la mode de l'époque. Il me fallait marquer le coup.

Un coup si vrai que depuis ils se pressent à mon séminaire. De préférer, somme toute, à la trique ma bonace.

— *D'où vous vient par ailleurs l'assurance de prophétiser la montée du racisme ? Et pourquoi diable le dire ?*

— Parce que ce ne me paraît pas drôle et que pourtant, c'est vrai.

Dans l'égarement de notre jouissance, il n'y a que l'Autre qui la situe, mais c'est en tant que nous en sommes séparés. D'où des fantasmes, inédits quand on ne se mêlait pas.

Laisser cet Autre à son mode de jouissance, c'est ce qui ne se pourrait qu'à ne pas lui imposer le nôtre, à ne pas le tenir pour un sous-développé.

S'y ajoutant la précarité de notre mode, qui désormais ne se situe que du plus-de-jouir, qui même ne s'énonce plus autrement, comment espérer que se poursuive l'humanitairerie de commande dont s'habillaient nos exactions?

Dieu, à en reprendre de la force, finirait-il par ex-sister, ça ne présage rien de meilleur qu'un retour de son passé funeste.

VI

*– Trois questions résument pour Kant, voir
le Canon de la première Critique, ce qu'il appelle
« l'intérêt de notre raison » :* Que puis-je
savoir? Que dois-je faire? Que m'est-il permis d'espérer? *Formule qui, vous ne l'igno-
rez pas, est dérivée de l'exégèse médiévale, et
précisément d'Agostino de Dacie. Luther la cite,
pour la critiquer. Voici l'exercice que je vous
propose : y répondre, à votre tour, ou y trouver à
redire.*

– Le terme « ceux qui m'entendent » devrait,
aux propres oreilles qu'il intéresse, se révéler
d'un autre accent à ce qu'y résonnent vos
questions, au point que leur apparaisse à quel
point mon discours n'y répond pas.
Aussi bien n'y eût-il que moi à qui elles
fissent cet effet, qu'il serait encore objectif,
puisque c'est moi qu'elles font objet à ce
qu'il choie de ce discours, au point d'entendre
qu'il les exclut, — la chose allant au bénéfice
(pour moi « il est vrai » secondaire) de me

rendre raison de ce dont je me casse la tête quand, ce discours, j'y suis : — de l'assistance qu'il recueille, pour moi à lui sans mesure. À cette assistance, ça apporte de ne plus entendre ça.

Il y a là de quoi m'inciter à, votre flottille kantienne, m'en faire embarcation pour que mon discours s'offre à l'épreuve d'une autre structure.

– *Eh bien, que puis-je savoir ?*

« Je le savais déjà »,... – Mon discours n'admet pas la question de ce qu'on peut savoir, puisqu'il part de le supposer comme sujet de l'inconscient.

Bien sûr n'ignoré-je pas le choc que fut Newton pour les discours de son époque et que c'est là ce dont procède Kant et sa cogitature. Il en ferait bord, de celle-ci, bord précurseur à l'analyse, quand il l'affronte à Swedenborg, mais pour tâter de Newton, il retourne à l'ornière philosophique de s'imaginer que Newton résume de ladite le piétinement. Kant serait-il parti du commentaire de Newton sur le livre de Daniel qu'il n'est pas sûr qu'il y eût trouvé le ressort de l'inconscient. Question d'étoffe.

Là-dessus je lâche le morceau de ce que répond le discours analytique à l'incongru de

la question : que puis-je savoir? Réponse :
rien qui n'ait la structure du langage en tout cas, d'où il résulte que jusqu'où j'irai *dans* cette limite, est une question de logique.

... *car* « *a-priori* » *est le langage*,...

Ceci s'affirme de ce que le discours scientifique réussisse l'alunissage où s'atteste pour la pensée l'irruption d'un réel. Ceci sans que la mathématique ait d'appareil que langagier. C'est ce dont les contemporains de Newton marquaient le coup. Ils demandaient comment chaque masse savait la distance des autres. A quoi Newton : « Dieu, lui, le sait » — et fait ce qui faut.

Mais le discours politique, — ceci à noter —, entrant dans l'avatar, l'avènement du réel, l'alunissage s'est produit, au reste sans que le philosophe qu'il y a en chacun par la voie du journal s'en émeuve sinon vaguement.

L'enjeu maintenant est de quoi aidera à sortir le réel-de-la-structure : de ce qui de la langue ne fait pas chiffre, mais signe à déchiffrer.

Ma réponse donc ne répète Kant qu'à ceci près que se sont découverts depuis les faits de l'inconscient, et qu'une logique s'est développée de la mathématique comme si déjà « le retour » de ces faits la suscitait. Nulle critique en effet, malgré le titre bien connu de ses ouvrages, ne vient à juger en eux de la logique classique, en quoi il témoigne seulement être jouet de son inconscient, qui de ne penser ne saurait juger ni calculer dans le travail qu'il produit à l'aveugle.

... *mais pas la logique des classes.*

Le sujet de l'inconscient, lui, embraye sur le corps. Faut-il que je revienne sur ce qu'il ne se situe véritablement que d'un discours, soit de *Pas de discours qui ne soit du semblant* ce dont l'artifice fait le concret, oh combien!

Quoi de là peut se dire, du savoir qui ex-siste pour nous dans l'inconscient, mais qu'un discours seul articule, quoi peut se dire dont le réel nous vienne par ce discours? Ainsi se traduit votre question dans mon contexte, c'est-à-dire qu'elle paraît folle.

Il faut pourtant oser la poser telle pour avancer comment, à suivre l'expérience instituée, pourraient venir propositions à démontrer pour la soutenir. Allons.

Peut-on dire par exemple que, si L'homme veut *La* femme, il ne l'atteint qu'à échouer dans le champ de la perversion? C'est ce qui se formule de l'expérience instituée du discours psychanalytique. Si cela se vérifie, est-ce enseignable à tout le monde, c'est-à-dire scientifique, puisque la science s'est frayé la voie de partir de ce postulat?

Le mathème

Je dis que ça l'est, et d'autant plus que, comme le souhaitait Renan pour « l'avenir de la science », c'est sans conséquence puisque *La* femme n'ex-siste pas. Mais qu'elle n'ex-siste pas, n'exclut pas qu'on en fasse l'objet de son désir. Bien au contraire, d'où le résultat.

La femme

Moyennant quoi L'homme, à se tromper, rencontre *une* femme, avec laquelle tout arrive : soit d'ordinaire ce ratage en quoi consiste la réussite de l'acte sexuel. Les acteurs en sont capables des plus hauts faits, comme on le sait par le théâtre.

Le noble, le tragique, le comique, le bouffon (à se pointer d'une courbe de Gauss), bref l'éventail de ce que produit la scène d'où ça s'exhibe — celle qui clive de tout lien social les affaires d'amour — l'éventail, donc, se réalise, — à produire les fantasmes dont les êtres de parole subsistent dans ce qu'ils dénomment, on ne sait trop pourquoi, de « la vie ». Car de « la vie », ils n'ont notion que par l'animal, où n'a que faire leur savoir.

Rien ne tu-émoigne, en effet, comme s'en sont bien aperçus les poètes du théâtre, que *leur* vie à eux êtres de parole ne soit pas un rêve, hors le fait qu'ils tu-ent ces animaux, tu-é-à-toi même, c'est le cas de le dire dans lalangue qui m'est amie d'être mie(nne). « *Tu es...* »

Car en fin de compte l'amitié, la Φιλία plutôt d'Aristote (que je ne mésestime pas de le quitter), c'est bien par où bascule ce théâtre de l'amour dans la conjugaison du verbe aimer avec tout ce qui s'ensuit de dévouement à l'économie, à la loi de la maison.

Comme on le sait, l'homme habite et, s'il ne sait pas où, n'en a pas moins l'habitude. L'ἔθος, comme dit Aristote, n'a pas plus à faire avec l'éthique, dont il remarque l'homonymie sans parvenir à l'en cliver, que n'en a le lien conjugal.

Comment, sans soupçonner l'objet qui à tout

cela fait pivot, non ἦθος mais ἔθος, l'objet (*a*) pour le nommer, pouvoir en établir la science ?

Il est vrai qu'il restera à accorder cet objet du mathème que *La* science, la seule encore à ex-sister : *La* physique, a trouvé dans le nombre et la démonstration. Mais comment ne trouverait-il pas chaussure meilleure encore dans cet objet que j'ai dit, s'il est le produit même de ce mathème à situer de la structure, pour peu que celle-ci soit bien l'en-gage, l'en-gage qu'apporte l'inconscient à la muette ?

Faut-il pour en convaincre, revenir sur la trace qu'en donne déjà le Ménon, à savoir qu'il y a accès du particulier à la vérité ?

C'est à coordonner ces voies qui s'établissent d'un discours, que même à ce qu'il ne procède que de l'un à l'un, du particulier, se conçoit un nouveau que ce discours transmette, aussi incontestablement que du mathème numérique.

L'amour Il y suffit que quelque part le rapport sexuel cesse de ne pas s'écrire, que de la contingence s'établisse (autant dire), pour qu'une amorce soit conquise de ce qui doit s'achever à le démontrer, ce rapport, comme impossible, soit à l'instituer dans le réel.

Cette chance même, on peut l'anticiper, d'un recours à l'axiomatique, logique de la contingence à quoi nous rompt ce dont le mathème, ou ce qu'il détermine comme mathématicien, a senti la nécessité : se laisser choir du recours à aucune évidence.

Ainsi poursuivrons-nous à partir de l'Autre, de l'Autre radical, qu'évoque le non-rapport que le sexe incarne, — dès qu'on y aperçoit qu'il n'y a de l'Un peut-être que par l'expérience de l' (a)sexué.

Pour nous il a autant de droit que l'Un à d'un axiome faire sujet. Et voici ce que l'expérience ici suggère. D'abord que s'impose pour les femmes cette négation qu'Aristote écarte de porter sur l'universel, soit de n'être pas toutes, μή πάντες. Comme si à écarter de l'universel sa négation, Aristote ne le rendait pas simplement futile : le *dictus de omni et nullo* n'assure d'aucune ex- sistence, comme lui-même en témoigne à, cette ex-sistence, ne l'affirmer que du particulier, sans, au sens fort, s'en rendre compte, c'est-à-dire savoir pourquoi : — l'inconscient.

$$\overline{\forall} x . \Phi x$$

C'est d'où *une* femme, — puisque de plus qu'une on ne peut parler — une femme ne rencontre *L'*homme que dans la psychose.

$$\overline{\exists} x . \overline{\Phi x}$$

Posons cet axiome, non que *L'*homme n'ex-siste pas, cas de *La* femme, mais qu'une femme se l'interdit, pas de ce que soit l'Autre, mais de ce qu' « il n'y a pas d'Autre de l'Autre », comme je le dis.

$$S (\cancel{A})$$

Ainsi l'universel de ce qu'elles désirent est de la folie : toutes les femmes sont folles, qu'on dit. C'est même pourquoi elles ne sont pas toutes, c'est-à-dire pas folles-du-tout, arrangeantes plutôt : au point qu'il n'y a pas de limites aux concessions que chacune fait pour *un* homme : de son corps, de son âme, de ses biens.

N'en pouvant mais pour ses fantasmes dont il est moins facile de répondre.

($ ◊ *a*) Elle se prête plutôt à la perversion que je tiens pour celle de *L*'homme. Ce qui la conduit à la mascarade qu'on sait, et qui n'est pas le mensonge que des ingrats, de coller à *L*'homme, lui imputent. Plutôt l'à-tout-hasard de se préparer pour que le fantasme de *L*'homme en elle trouve son heure de vérité. Ce n'est pas excessif puisque la vérité est femme déjà de n'être pas toute, pas toute à se dire en tout cas.

Mais c'est en quoi la vérité se refuse plus souvent qu'à son tour, exigeant de l'acte des airs de sexe, qu'il ne peut tenir, c'est le ratage : réglé comme papier à musique.

Laissons ça de traviole. Mais c'est bien pour la femme que n'est pas fiable l'axiome célèbre de M. Fenouillard, et que, passées les bornes, il y a la limite : à ne pas oublier.

Par quoi, de l'amour, ce n'est pas le sens qui compte, mais bien le signe comme ailleurs. C'est même là tout le drame.

Et l'on ne dira pas qu'à se traduire du discours analytique, l'amour se dérobe comme il le fait ailleurs.

D'ici pourtant que se démontre que ce soit « *Il n'y a pas de rapport sexuel* » de cet insensé de nature que le réel fasse son entrée dans le monde de l'homme — soit les passages, tout compris : science et politique, qui en coincent L'homme aluné, — d'ici là il y a de la marge.

Car il y faut supposer qu'il y a un tout du réel, ce qu'il faudrait prouver d'abord puisqu'on ne suppose jamais du sujet qu'au raisonnable. *Hypoteses non fingo* veut dire que n'ex-sistent que des discours.

– *Que dois-je faire ?*

– Je ne peux que reprendre la question comme tout le monde à me la poser pour moi. Et la réponse est simple. C'est ce que je fais, de ma pratique tirer l'éthique du Bien-dire, que j'ai déjà accentuée.

Prenez-en de la graine, si vous croyez qu'en d'autres discours celle-ci puisse prospérer.

Mais j'en doute. Car l'éthique est relative au discours. Ne rabâchons pas.

L'idée kantienne de la maxime à mettre à l'épreuve de l'universalité de son application, n'est que la grimace dont s'esbigne le réel, d'être pris d'un seul côté.

Ne demande « que faire ? » que celui dont le désir s'éteint

Le pied-de-nez à répondre du non-rapport à l'Autre quand on se contente de le prendre au pied de la lettre.

Une éthique de célibataire pour tout dire, celle qu'un Montherlant plus près de nous a incarnée.

Puisse mon ami Claude Lévi-Strauss structurer son exemple dans son discours de réception à l'Académie, puisque l'académicien a le bon heur de n'avoir qu'à chatouiller la vérité pour faire honneur à sa position.

Il est sensible que grâce à vos soins, c'est là que j'en suis moi-même.

— J'aime la pointe. Mais si vous ne vous êtes pas refusé à cet exercice, d'académicien en effet, c'est que vous en êtes, vous, chatouillé. Et je vous le démontre, puisque vous répondez à la troisième question.

— Pour « que m'est-il permis d'espérer? », je vous la rétorque, la question, c'est-à-dire que je l'entends cette fois comme venant de vous. Ce que j'en fais pour moi, j'y ai répondu plus haut.

Comment me concernerait-elle sans me dire quoi espérer? Pensez-vous l'espérance comme sans objet?

Vous donc comme tout autre à qui je donnerais du vous, c'est à ce vous que je réponds, espérez ce qu'il vous plaira.

Sachez seulement que j'ai vu plusieurs fois l'espérance, ce qu'on appelle : les lendemains qui chantent, mener les gens que j'estimais autant que je vous estime, au suicide tout simplement.

Pourquoi pas? Le suicide est le seul acte qui

puisse réussir sans ratage. Si personne n'en sait rien, c'est qu'il procède du parti-pris de ne rien savoir. Encore Montherlant, à qui sans Claude je ne penserais même pas.

Pour que la question de Kant ait un sens, je la transformerai en : d'où vous espérez? En quoi vous voudriez savoir ce que le discours analytique peut *vous* promettre, puisque pour moi c'est tout cuit.

La psychanalyse vous permettrait d'espérer assurément de tirer au clair l'inconscient dont vous êtes sujet. Mais chacun sait que je n'y encourage personne, personne dont le désir ne soit pas décidé.

Ne veux-tu rien savoir du destin que te fait l'inconscient?

Bien plus, excusez-moi de parler des vous de mauvaise compagnie, je pense qu'il faut refuser le discours psychanalytique aux canailles : c'est sûrement là ce que Freud déguisait d'un prétendu critérium de culture. Les critères d'éthique ne sont malheureusement pas plus certains. Quoi qu'il en soit, c'est d'autres discours qu'ils peuvent se juger, et si j'ose articuler que l'analyse doit se refuser aux canailles, c'est que les canailles en deviennent bêtes, ce qui certes est une amélioration, mais sans espoir, pour reprendre votre terme.

Au reste le discours analytique exclut le vous qui n'est pas déjà dans le transfert, de démontrer ce rapport au sujet supposé savoir — qu'est une manifestation symptomatique de l'inconscient.

J'y exigerais de plus un don de la sorte dont se crible l'accès à la mathématique, si ce don existait, mais c'est un fait que, faute sans doute de ce qu'aucun mathème, hors les miens, ne soit sorti de ce discours, il n'y a pas encore de don discernable à leur épreuve.

La seule chance qui en ex-siste ne relève que du bon heur, en quoi je veux dire que l'espoir n'y fera rien, ce qui suffit à le rendre futile, soit à ne pas le permettre.

VII

— Titillez donc voir la vérité que Boileau versifie comme suit : « Ce que l'on conçoit bien, s'énonce clairement. » Votre style, etc.

— Du tac au tac je vous réponds. Il suffit de dix ans pour que ce que j'écris devienne clair pour tous, j'ai vu ça pour ma thèse où pourtant mon style n'était pas encore cristallin. C'est donc un fait d'expérience. Néanmoins je ne vous renvoie pas aux calendes.

A qui joue sur le cristal de la langue,...

Je rétablis que ce qui s'énonce bien, l'on le conçoit clairement — clairement veut dire que ça fait son chemin. C'en est même désespérant, cette promesse de succès pour la rigueur d'une éthique, de succès de vente tout au moins.

Ça nous ferait sentir le prix de la névrose par quoi se maintient ce que Freud nous rappelle : que ce n'est pas le mal, mais le bien, qui engendre la culpabilité.

Impossible de se retrouver là-dedans sans un soupçon au moins de ce que veut dire la castration. Et ceci nous éclaire sur l'histoire que

Boileau là dessus laissait courir, « clairement »
pour qu'on s'y trompe, à savoir qu'on y croie.

Le médit installé dans son ocre réputé : « Il
n'est pas de degré du médi-ocre au pire »,
voilà ce que j'ai peine à attribuer à l'auteur
du vers qui humorise si bien ce mot.

Tout cela est facile, mais ça va mieux à ce
qui se révèle, d'entendre ce que je rectifie à
pieds de plomb, pour ce que ça est : un mot
d'esprit à qui personne ne voit que du feu.

Ne savons-nous que le mot d'esprit est
lapsus calculé, celui qui gagne à la main l'inconscient ? Ça se lit dans Freud sur le mot
d'esprit.

Et si l'inconscient ne pense, ne calcule, etc.,
c'est d'autant plus pensable.

On le surprendra à réentendre, si on le peut,
ce que je me suis amusé à moduler dans mon
exemple de ce qui peut se savoir, et mieux :
moins de jouer du bon heur de lalangue que
d'en suivre la monte dans le langage...

Il a fallu même un coup de pouce pour que
je m'en aperçoive, et c'est là où se démontre
le fin du site de l'interprétation.

Devant le gant retourné supposer que la
main savait ce qu'elle faisait, n'est-ce pas le
rendre, le gant, justement à quelqu'un que
supporteraient La Fontaine et Racine ?

L'interprétation doit être preste pour satisfaire à l'entreprêt.

$\frac{a}{(-\varphi)}$ De ce qui perdure de perte pure à ce qui ne
parie que du père au pire.

TABLE

COMPOSITION : IMPRIMERIE FIRMIN-DIDOT AU MESNIL
IMPRESSION : REPRINT/AUBIN À LIGUGÉ (2-86)
DÉPÔT LÉGAL 1er TRIM. 1974. No 3335-6 (L 21043)

LE CHAMP FREUDIEN

COLLECTION FONDÉE ET DIRIGÉE PAR JACQUES LACAN (1964-1981)
NOUVELLE SÉRIE DIRIGÉE PAR JACQUES-ALAIN MILLER

ENSEIGNEMENT
DE JACQUES LACAN

De la psychose paranoïaque dans ses rapports avec la personnalité,
suivi de *Premiers Écrits sur la paranoïa ;*
Écrits ; Télévision.

Le Séminaire (texte établi par Jacques-Alain Miller) :
LIVRE I, *les Écrits techniques de Freud ;*
LIVRE II, *le Moi dans la théorie de Freud*
et dans la technique de la psychanalyse ;
LIVRE III, *les Psychoses ;*
LIVRE VII, *l'Éthique de la psychanalyse ;*
LIVRE XI, *les Quatre Concepts fondamentaux de la psychanalyse ;*
LIVRE XX, *Encore.*

TEXTES ET DOCUMENTS

W. Fliess, *Relations entre le nez et les organes génitaux de la femme.*
Daniel Paul Schreber, *Mémoires d'un névropathe.*

LE CHAMP FREUDIEN
(1964-1981)

Scilicet : Revue de l'École freudienne de Paris (parus : n⁰ˢ 1 à 6).
Jean Clavreul, *l'Ordre médical.*
David Cooper, *Psychiatrie et Anti-psychiatrie.*
Françoise Dolto, *le Cas Dominique.*
Serge Leclaire, *Psychanalyser ; Démasquer le réel ; On tue un enfant.*
Rosine et Robert Lefort, *Naissance de l'Autre.*
P. Legendre, *l'Amour du censeur ; la Passion d'être un autre.*